LA CHICA DE LOS ZAPATOS VERDES

JORDI SURÍS JORDÀ

Colección
LEER EN ESPAÑOL

español

SANTILLANA
UNIVERSIDAD
DE SALAMANCA

La colección LEER EN ESPAÑOL ha sido concebida
y diseñada por el Departamento de Idiomas
de la Editorial Santillana, S.A.
La chica de los zapatos verdes es una obra original
de **Jordi Surís** para el Nivel 2 de esta colección.

Ilustración de la portada: **José Luis García Morán**

Ilustraciones interiores: **P. Olivo**

Coordinación editorial: **Silvia Courtier**

© 1992 by Jordi Surís Jordà

© de esta edición,
     1992 by Universidad de Salamanca
          Grupo Santillana de Ediciones, S.A.
Torrelaguna, 60. 28043 Madrid
PRINTED IN SPAIN
Impreso en España por UNIGRAF
Avda. Cámara de la Industria, 38
Móstoles, Madrid

ISBN: 84-294-3481-X
Depósito legal: M-14389-1998

ADVERTENCIA

La historia de *La chica de los zapatos verdes* se desarrolla en Barcelona, capital de Cataluña.

Esta Comunidad Autónoma del noreste de España es bilingüe y en ella se habla el catalán –su lengua propia– y el castellano, siendo ambas oficiales.

Para los nombres de lugares citados en el relato hemos respetado, en general, la grafía catalana. Son los siguientes:

Avenida **Portal de l'Àngel**, Vía **Laietana, Palau de la Música** (Palacio de la Música), Calle de **Santa Anna,** Paseo de la **Bonanova,** Calle **Montcada** y **Sarrià.**

Estos nombres van señalados con un asterisco (*) la primera vez que aparecen en el texto.

Dos personajes, **Enric** (Enrique) y **Albert** (Alberto), mantienen su nombre en catalán.

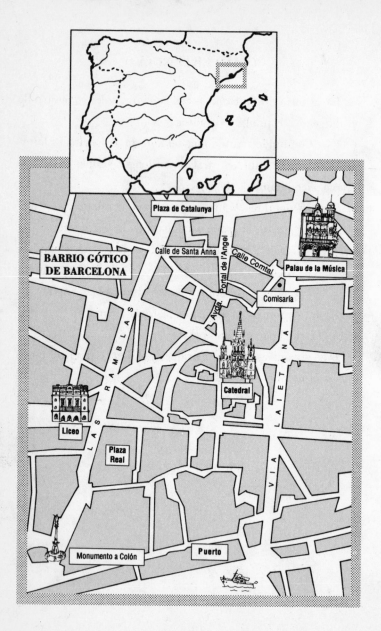

BARRIO GÓTICO
DE BARCELONA

Plaza de Catalunya

Calle de Santa Anna

Portal de l'Angel

Calle Comtal

Palau de la Música

Comisaría

Avda.

Catedral

LAS RAMBLAS

VIA LAIETANA

Liceo

Plaza Real

Monumento a Colón

Puerto

I

Una exposición[1] en un viejo barco, en el puerto de Barcelona... Sí que es interesante –piensa Enric. ¡Y abierta hasta las doce de la noche! Mejor todavía.

El chico pasea tranquilamente delante de los cuadros. Cuando alguno le gusta, se para un poco para mirarlo mejor. No se interesa por la gente que está alrededor. Pero en un momento, levanta la cabeza y entonces la ve. Lleva una blusa blanca. No es ni alta ni baja, tiene el pelo claro y unos ojos grises preciosos. Parece que va sola y que a ella también le gustan mucho los cuadros. «¡Qué guapa es esta chica!» –piensa Enric. Pero un grupo de personas pasa delante de él y cuando mira otra vez no ve a la chica rubia. No tiene tiempo de buscarla con los ojos: Albert, un viejo amigo, lo está saludando.

–¡Hola, Enric!, ¿cómo estás? –le dice.

–Muy bien. ¿Y tú, Albert?

–Muy bien, también. Bonitos cuadros, ¿eh?

–Sí, muy bonitos.

–¡Ah!, ¿conoces a Laura?

Laura estaba detrás de Albert. ¡Es la chica de la blusa blanca!

–¡Hola! –dice la joven con voz[2] alegre.

–¡Hola, Laura! –contesta Enric divertido también.

–Laura es una amiga del trabajo. Nos hemos encontrado ahora mismo –explica Albert.

Albert está casado y tiene dos hijos pequeños. Son casi las once y debe volver ya a casa. A Enric le encanta la idea de terminar la visita solo con Laura... Además de guapa, es muy simpática, hace bromas por todo. Y sabe mucho de cuadros. Enric está encantado. Pero Laura ya está mirando el reloj.

–Bueno –dice ella–, ¿nos vamos? No quiero llegar muy tarde a casa.

–¿Dónde vives? –pregunta Enric.

–En la calle Amargós, una callecita entre la Avenida Portal de l'Àngel* y la Vía Laietana*, cerca del Palau de la Música* –contesta la chica, con los ojos puestos en las aguas negras del puerto, que se mueven en silencio delante del barco.

El agua del mar está tranquila. Es de noche. El puerto huele a pescado y sal. La ciudad parece estar dormida bajo la suave luz de la luna.

–Yo vivo cerca. Voy contigo –dice Enric.

Enric y Laura suben despacio por las Ramblas[3]. Las luces de la calle están encendidas. Cerca de la Plaza Real, un coche de la policía pasa muy lento. En las terrazas de los bares, hay muchas personas sentadas: charlan tranquilamente mientras toman su copa poquito a poco; y también miran a la gente que pasea por allí.

Los dos jóvenes llegan a las pequeñas tiendas de flores y de animales que, a esta hora, están cerradas... Al final de las Ramblas, cogen a la derecha la calle de Santa Anna*. No hay nadie. Los bares están cerrados. Sólo por las ventanas de algunos hoteles sale un poco de luz.

De repente, Enric se para a la entrada de una calle muy pequeña y oscura. Mira unos cubos de basura[4] que están allí. Ha visto algo extraño, algo verde, allí, entre la basura. Es un zapato. Lo mira mejor. Y no lo puede creer: dentro del zapato hay un pie y... detrás del pie... una pierna. ¡Hay una chica muerta detrás de los cubos! El pobre Enric no puede hablar, sólo mirar, asustado. Laura, que no ha visto nada, se ríe.

–Pero, chico, ¿qué te pasa? ¿Qué estás haciendo?

Como Enric no contesta ni se mueve, Laura se acerca[5]. Entonces ve a la chica muerta.

–¡Enric! ¡Es horrible! –grita–. Esta chica, esta chica... ¡Es Maribel!

II

En la comisaría, un policía gordo y con bigote hace las primeras preguntas a Enric y Laura: «¿Dónde encontraron a la chica muerta? ¿A qué hora? ¿La conocían? ¿Eran amigas?...»

Después, pasan al despacho[6] del comisario Carlos Fargas. Laura se siente muy mal. Se acuerda de la pálida cara de Maribel, de sus grandes ojos sin vida, tan abiertos... y sobre todo de las marcas[7] en su cuello[8]: extrañas, de color marrón, más oscuras a la izquierda.

¡Maribel asesinada[9]!, se repite una y otra vez Laura, sentada con Enric en un banco del pasillo de la comisaría. Pronto empiezan a llegar más personas, amigos de Maribel. Ellos también tienen que contestar algunas preguntas. Ellos también esperan noticias.

Un joven muy bien vestido entra en el despacho del comisario. Laura cree conocerlo. Pero no se acuerda de dónde lo ha visto antes. Una señora dice que es sobrino[10] del comisario Fargas. Explica que es vecino de Maribel, que Maribel y él se conocían desde niños.

III

Cuando Enric y Laura salen de la comisaría ya es de día. Las calles están tranquilas todavía. Se sientan en la mesa de un bar que ha abierto hace poco.

–¡Qué noche! –dice Enric.

–Ha sido horrible. ¿Por qué la han asesinado?

–No lo sé...

–¿Por qué pasan estas cosas?

Enric coge la mano de la chica. En ese momento se abre la puerta del bar y entran dos hombres. Es el comisario, seguido de su sobrino. Se sientan junto a la barra[11] y empiezan a charlar. Fargas parece estar cansado y de muy mal humor.

–Julio, tengo que irme. Saluda a tu madre –le oyen decir a los pocos minutos–. Vuelve a casa y no pienses más en todo esto, ¿de acuerdo? El comisario sale del bar. Entonces Julio se acerca a Laura y Enric.

–Perdonad –dice–, os he visto en la comisaría. ¿También sois amigos de Maribel?

–Sí. Laura la conocía –contesta Enric.

–¿Pues sabéis una cosa? La policía ya tiene al asesino –dice el joven, que sonríe de forma un poco extraña.

–¿Y quién es? –pregunta Enric.

–Un amigo suyo. Se llama José.

–¿Qué José? –Laura mira a Julio con cara seria.

–José Puertas, creo. Un joven extraño que bebe mucho y toma drogas[12]. Estaba enamorado[13] de Maribel...

Julio mueve la cabeza, nervioso. Laura y Enric escuchan en silencio. Lo dejan continuar.

–... pero Maribel no lo quería. ¡No, no lo quería a él!

–Mira –dice por fin Laura–, José no ha sido.

–¿Por qué no? –pregunta Julio sorprendido[14].

–Hace mucho tiempo que lo conozco. Él no puede matar a nadie.

–¡Bah! –dice Julio, que de pronto se ha puesto de mal humor–. Otras personas lo conocen y no piensan lo mismo. La policía lo encontró en un bar cerca del lugar del asesinato. Estaba muy nervioso. Y estaba bebiendo, claro, como siempre.

–¿Y qué? Eso no quiere decir nada.

–Además, Maribel conocía al asesino. Me lo dijo mi tío[15], el comisario. La mató con las manos, por detrás... Ella no lo quería, no lo quería...

Julio vuelve a la barra, enfadado. Bebe su café y deja la taza[16] en el plato.

«Es un hijo de papá», piensa Laura. No le gusta cómo habla Julio. Tampoco las cosas que dice. Ella está segura de que José no ha matado a Maribel.

–¡Eh, Julio! –grita desde su mesa–. Te equivocas. José no ha sido.

Julio la mira y se acerca otra vez.

–La policía piensa que sí –dice.

–José no la mató.

–Entonces, ¿quién fue? –Julio se mueve nervioso.

–No lo sé.

–¿No lo sabes? –pregunta Julio de mal humor.

–Todavía no, ya te lo he dicho. Pero voy a encontrar la forma de saberlo –contesta la chica.

–¿Ah, sí?

–Sí.

Hay un momento de silencio en el bar. Enric oye el ruido de los coches en la calle. Mira a su alrededor. Ve que han llegado algunos clientes. Después mira a Laura, que está muy guapa pero con cara de cansada.

–Bueno... –dice Julio ahora con voz suave–. Si de verdad tienes una idea, llámame. Yo también quiero saber quién mató a Maribel. Ella era mi amiga, ¿sabes?... Toma, aquí están mi dirección[17] y mi teléfono.

–Vale, gracias –dice Laura–. Espera, déjame algo para escribir. Te doy mi teléfono también.

–Ahora me voy a dormir –dice Julio después de meterse en el bolsillo el papel con el número de Laura.

Laura y Enric se quedan en el bar un poco más.

–¡Qué chico más raro! –dice Enric.

Laura no contesta. Está seria.

–Enric, sé que José no mató a Maribel –dice por fin.

–Pero Laura, la policía dice...

–No, Enric. Aquí hay algo que no está claro.

–¿Qué no está claro?

–Ahora no te lo puedo decir. Primero tengo que hacer algo para saber... Pero no te preocupes. Es cosa mía. Estoy muy contenta de haberte conocido. Me has ayudado mucho.

–Laura... Ten cuidado. Esto puede ser peligroso.

–Espero que no. Adiós, Enric.

–Oye, si quieres, me quedo. No voy a dejarte sola ahora...

–¡Eres tan bueno! –Laura le da un beso–. De acuerdo, Enric, ven conmigo. Y después llamamos a Julio. Nos puede hacer falta.

Se levantan para pagar. La taza de Julio todavía está en la barra. Laura mira la marca de color marrón que sube por dentro de la taza, como un caminito a la derecha del asa[18]. Oye el ruido de los platos y los vasos. También, las voces y los coches en la calle. La ciudad ha empezado a despertarse.

IV

La casa de Julio está lejos. Pero quiere andar un poco antes de coger un taxi hasta el Paseo de la Bonanova*. Y quiere pensar.

Le parece que ha visto a Laura antes. Ahora empieza a acordarse. Fue hace mucho tiempo. Él era un niño...

Sí, Julio es un niño. Está en una habitación pequeña y oscura. No puede salir porque su madre, como siempre, le ha cerrado la puerta con llave. En la habitación sólo hay muebles viejos y rotos. Julio tiene miedo. Encima de la mesa hay un cuchillo. Una rata[19] se mueve allí, detrás del armario. De repente... esas risas[20] conocidas. Risas de niña en la calle. Se acerca a la ventana para mirar... Oye una voz. Alguien llama a la niña.

Oye el mismo grito varias veces y después otro nombre, pero no puede acordarse. ¡Maribel!, ¡...!, ¡Maribel! ...

Sí, ahora oye un nombre diferente: ¡Laura!...

Las risas terminan. Julio ve a las dos niñas por la calle. Él quiere salir de esa horrible habitación. Quiere pasear con ellas.

«No. Mamá se enfada mucho si me ve jugar con niñas», piensa en voz alta.

Enric mira la plaza. Este lugar le gusta mucho. Cuando mira a Laura otra vez, la chica está llorando en silencio.
–¡Pobre Maribel...!

V

A las diez de la mañana hay poca gente en la Plaza Real. Sólo algunas personas que están hablando tranquilamente, sentadas en los bancos. En la terraza de un bar, Enric toma su segundo café del día. En ese momento Laura se acerca y se sienta a su lado.

–¿Has podido hablar con Julio? –pregunta Enric.

–Sí. Me ha dicho que venía ahora.

Enric mira la plaza. Este lugar le gusta mucho. Cuando mira a Laura otra vez, la chica está llorando en silencio.

–¡Pobre Maribel...!

–¿Hace mucho tiempo que la conocías?

–Desde que éramos niñas. Ella vivía en un barrio bueno, en Tres Torres. Sus padres le daban todas las cosas que quería. Pero ella, no era feliz. A los dieciséis años, encontró un trabajo. Poco después se fue de casa. Su familia se enfadó mucho. Además, Maribel se fue a vivir al casco antiguo[21] con unos amigos. Allí conoció a José y se enamoraron. Entonces, sus padres no quisieron verla más. No les gustaba José. Decían que tomaba drogas... Yo estoy segura de que no es verdad.

–¿Y José, cómo es? –pregunta Enric.

–No es mala persona, créeme. Antes pintaba. Yo lo he visto pintar muchas veces. Lo hace muy bien. Pero desde hace unos meses bebe mucho. No sé qué le puede pasar. El dinero, quizás: vender cuadros en estos tiempos no es fácil...

Laura levanta la cabeza. Ha visto a Julio que anda hacia ellos. Se ha cambiado de ropa y lleva ahora unos pantalones negros y una camisa de color rojo.

–¡Qué plaza tan sucia! –dice mientras se sienta.

–¿Qué hacemos? –pregunta Enric.

–Podemos ir... –empieza a decir Laura.

–Vamos a un bar que está cerca de aquí: «El Dorado». ¿Lo conocéis? –Julio habla sin dejar terminar a Laura–. Allí la policía detuvo[22] a José...

–Pero Julio, ¿qué dices? La policía no puede detener a José así. ¡El asesinato fue ayer por la noche! No sabe nada todavía.

–¡Bueno, bueno! Quiero decir que la policía lo vino a buscar allí, para llevarlo a la comisaría, para hacerle preguntas.

–Vale, está bien –dice Laura, de mal humor.

–¿Por qué no vamos a ese bar? Puede ser interesante... –dice Enric tímidamente.

VI

EL bar «El Dorado» es pequeño y viejo. Un camarero está lavando los platos. Julio se acerca a él.

–¿Sabe que la policía ha detenido al asesino de la chica de la calle de Santa Anna? –le pregunta.

Algunos clientes levantan la cabeza.

–¿Sí? –el camarero lo mira sin entender–. ¡Ah, sí!... aquella joven asesinada. ¡Pobrecilla! Hace poco estábamos hablando de eso. ¿Verdad, Pedro?

Uno de los clientes dice que sí con la cabeza.

–¿Y quién es? –pregunta el camarero.

–Un chico que vino a este bar después del asesinato –contesta Julio.

Laura mira a Julio. Piensa que no está bien hablar así.

–¿Quién? –pregunta otra vez el camarero.

–Un chico que se llama José.

–¿José?

–Sí. Dos policías vinieron aquí a buscarlo ayer por la noche.

–¡Ah! José... ¿Aquellos dos eran de la policía?

–¿Estaba bebiendo mucho, verdad? –continúa Julio.

–Sí, un poco.

El camarero mira entonces a un señor con gafas que está tomando una copa en la barra.

–¡Eh!, señor Casas. ¿Ha oído eso?

–Sí, lo he oído –contesta éste.

–Estaba bebiendo mucho, ¿verdad? –pregunta otra vez Julio.

–Bueno, es un poco extraño –dice el camarero–. Bebe mucho, sí... Ayer, llegó a las diez, más o menos. Pidió una cerveza y después otra y luego otra... Hasta que vinieron a buscarlo aquellos dos. Bueno, la policía. Creía que eran amigos...

–¿No ha vuelto la policía esta mañana? –pregunta Laura.

–Pues no. No ha venido nadie.

De repente el camarero los mira sorprendido.

–Somos amigos de Maribel, la joven asesinada –explica Julio.

–Es que cada día es peor, oiga –dice el camarero–. Hace poco hubo otro muerto cerca de aquí.

–¡Y la policía no hace nada! –dice el señor Casas.

–¡Hombre! Esta vez, la policía detuvo al asesino.

–Así que José es un asesino...

–¡Ya lo decía yo! Demasiado raro...

Cuando salen del bar, Julio está contento.

–¿Y ahora qué piensas? –le pregunta a Laura con una risita.

VII

EL inspector Ibáñez decide, por fin, hablar con el comisario.

Lo ha estado pensando toda la noche. No entiende cómo Fargas no se ha dado cuenta también. Llama primero a la puerta y abre sin esperar respuesta.

–Señor comisario...

–Sí.

–Tengo que hablarle de la chica asesinada.

–¿Qué chica?

–La chica de la calle de Santa Anna.

–¡Ah!, dígame.

–He hablado con José Puertas, y he leído el informe[23]. Hay cosas que no están claras. Como usted sabe...

–Mire, Ibáñez –dice el comisario Fargas–, ese chico es el asesino, estoy seguro. No se preocupe más... Es usted demasiado joven... Ahora déjeme trabajar. Y por favor, cierre la puerta después de salir.

El inspector Ibáñez trabaja en la comisaría desde hace poco. Es un joven delgado y un poco bajo. Por un segundo parece que va a decir algo. Pero se calla. Cuando cierra la puerta se queda un momento en el pasillo...

VIII

Laura y Enric proponen a Julio ir al piso de Maribel.
Ella vivía con una amiga, una chica extraña, delgada y
bajita que lee las cartas[24] en las Ramblas.

Son ya cerca de las doce pero María los recibe en pi-
jama. Sus ojos están tristes.

—¿Qué tal, María? —pregunta Laura.

—No muy bien.

—¿Conoces a Enric y a Julio?

—¡Hola!

—Enric es amigo mío y Julio es amigo de Maribel.
¿Sabes algo de José?

—Todavía está en la comisaría.

Tras un momento de silencio María les pregunta:

—¿Queréis ver la habitación de Maribel?

—María —dice Laura sin contestar—, ¿qué hizo Maribel
ayer por la tarde?

—Estuvo leyendo, lavando la ropa... las cosas de siempre. Después de cenar salió. Había quedado con José.

—¿A qué hora salió?

—A las nueve y media, más o menos.

—¿Estaba preocupada o nerviosa?

–Bueno... Desde hace unas semanas estaba un poco rara. Algo le pasaba... Quizás tenía problemas con José o quizás había alguien más. En los últimos días recibía muchas llamadas de teléfono. Una noche llegó muy asustada a casa pero no quiso contarme nada. Creo que ayer, también, después de comer, alguien la llamó.

–¿Quién? –pregunta Julio.

–No lo sé. Alguien.

María ha cogido las cartas del «tarot»[25] y ha empezado a jugar con ellas.

–¿Hombre o mujer?

–No lo sé, pero Maribel estaba muy enfadada.

–¡Bah! –dice Julio de mal humor–. No sé qué estoy haciendo aquí. Estamos perdiendo el tiempo.

–¿Tú crees?

–Estoy cansado. Me voy a dormir.

–Nosotros también nos vamos –dice Laura.

–Coge una carta de aquí –le pide María.

Laura coge una.

–La Emperatriz –dice María–. La Emperatriz quiere decir «Solución de un problema con la ayuda de una mujer...» Adiós, Laura. Pero tenemos que vernos en otro momento, ¿vale? Bueno, adiós a todos.

IX

Una vez en la calle, Julio coge un taxi. Está nervioso. La camisa le aprieta[26] el cuello. Se mueve en su sitio sin parar.

«Estoy seguro de que no le gusto a Laura –piensa–. Bueno, ¿y qué? Me da igual. ¡Uf! ¡Qué calor hace aquí dentro! ¿Y si cree que yo soy el asesino...?»

–¡Esa Laura! –dice ahora en voz alta.

«... La habitación oscura, la rata... las niñas...»

Julio piensa en Laura. Tiene unos ojos bonitos... Se da cuenta de que le gusta. Quiere verla otra vez.

Siente cada vez más calor... Unas marcas marrones... Julio imagina[27] a Maribel en el suelo, con esas marcas alrededor del cuello... y las piernas tan blancas... Él la quería mucho, pero ella se fue sin decirle adiós... Era mala, su madre decía la verdad. Era muy mala...

Pero vuelve el recuerdo de Laura, su boca, su bonito pelo de niña. Quiere darle un beso pero no debe hacerlo. No, no debe. Todas las niñas son horribles...

... Y otra vez la habitación. Está solo. Siempre solo. Las niñas ríen. Él coge el cuchillo. Cuando la rata se acerca, la mata con el cuchillo.

X

DESPUÉS de dejar a Julio, Laura le dice a Enric:

–¿Puedes esperarme un momento? No tardo.

Al cuarto de hora vuelve y se acerca a Enric.

–Bueno, ya está. Todavía tengo que hacer algo más, pero antes ¿me invitas a comer algo?

–Sí, claro –dice Enric, contento de estar con ella–. Conozco un sitio muy bonito en la calle Montcada*.

En el bar, Enric escucha a Laura.

–Enric, José no mató a Maribel. De verdad, es imposible. ¿Viste las marcas que tenía en el cuello? Julio dijo que el asesino la mató por detrás, así. ¿Te acuerdas de que la marca de la izquierda era mucho más fuerte?

–Pues...

–Eso quiere decir –continúa Laura– que el asesino tiene más fuerza en la mano izquierda...

–Ya, es zurdo[28].

–Y José no es zurdo. Lo he visto pintar muchas veces.

–Mmmm.

–Ahora mi pregunta es: ¿Por qué la policía no se ha dado cuenta de algo tan claro?

–Sí, es un poco raro.

–Enric, ¿sabes quién es zurdo?

–Pues... no –contesta Enric.

–Yo sí lo sé. Julio es zurdo. Por eso, su tío, el comisario Fargas...

–Pero Laura, hay muchos zurdos en Barcelona.

–Sí, es verdad pero...

–Además, ¿cómo sabes que Julio es zurdo?

–Me he dado cuenta esta mañana, en el bar. Cuando fuimos a pagar vi su taza. Las marcas del café estaban a la derecha del asa. Mira –Laura coge su taza con la mano izquierda–. ¿Lo ves? Él bebe así.

–Ah, ya entiendo.

–Después, ¿te acuerdas de todas las cosas que nos ha contado María? Por la tarde alguien llamó a Maribel por teléfono y eso la puso nerviosa.

–Sí, me acuerdo.

–Yo creo que esa persona quería verla. Es muy posible, ¿no? Y ella le dijo que no porque tenía que salir con José. Después, pudo esperarla y seguirla. En la calle de Santa Anna hablaron. No sé qué se dijeron pero...

Enric mira a Laura preocupado.

–Oye, Laura... ¿Y si no fue así? No puedes decir que Julio... ¿Porque tú crees que ese alguien es Julio, verdad?

–Mira –dice la joven–. He subido otra vez a casa de María para estar segura.

–Segura, ¿de qué?

–De que Julio estaba enamorado de Maribel.

–Y ¿qué te dijo María?

–Tengo una carta, una carta de Julio. María la ha encontrado en el armario de Maribel. Antes, no nos ha podido contar nada porque él estaba delante.

–¿La has leído? –pregunta Enric.

–Sí. En ella Julio le decía que se estaba equivocando de persona. Que José era un idiota y que nunca iba a ser feliz con un pobre pintor. Le contaba también que él la quería desde pequeño. Que era rico y que, con él, podía estar como nadie. Por último, le daba un consejo. Algo así como: «Piensa muy bien qué haces con tu vida. Si te equivocas, puedes acabar mal.»

Los dos jóvenes se quedan callados un momento.

–¿Crees que quería asustarla? –pregunta Enric.

–No lo sé, es posible. Julio no me gusta, ya lo sabes –dice Laura.

–Es un chico muy extraño, desde luego.

–Bueno, Enric. Tenemos que llegar hasta el final. Voy a ir a hablar con el comisario Fargas.

–¿Con el tío de Julio?

–Sí.

–Laura, ten mucho cuidado. Te espero aquí. Luego, me explicas cómo te ha ido.

–De acuerdo. Gracias, Enric. Gracias por estar conmigo. Todo esto es horrible.

–Quería hablar con usted de la chica asesinada...
–La chica asesinada, ¿qué pasa con la chica asesinada?
–Hay algunas cosas que no están claras.

XI

LAURA llega a la comisaría. Una vez dentro, se acerca a un policía...

–¿Podría hablar con el comisario Carlos Fargas, por favor?

–Pase al despacho del final del pasillo.

Laura llama a la puerta. Una voz contesta:

–¡Entre!

El comisario está sentado delante de una mesa llena de papeles. Escucha a un joven con corbata que está de pie a su lado. Es el inspector Ibáñez.

–Dígame –dice Fargas sin mirar a Laura.

–Quería hablar con usted de la chica asesinada...

–La chica asesinada, ¿qué pasa con la chica asesinada? –pregunta el comisario, que mira muy serio a Laura.

–Hay algunas cosas que no están claras.

–¿Ah, sí? ¿Qué cosas?

El joven de la corbata levanta la cabeza...

–El asesino es zurdo.

El joven inspector mira a Laura cada vez más sorprendido.

–¿Sí? –Carlos Fargas se pone de muy mal humor.

–... y José no es zurdo –continúa Laura.

–¿José?

–Sí, José Puertas. Ahora está detenido...

–¿Y quién le ha dicho que el asesino es zurdo?

–Nadie.

–Entonces, ¿cómo lo sabe?

–Creo que no hace falta ser muy listo para darse cuenta de eso. ¿O usted no lo sabía, señor comisario?

El policía se mueve en su sillón, nervioso, enfadado. Mira a Laura a los ojos.

–¿Tiene algo más que decir? –le dice por fin.

Ella no contesta.

Mientras baja la escalera piensa en muchas cosas. Cada vez está más segura de que José no ha matado a Maribel. ¿Cómo no lo ve la policía? Julio sí puede ser un asesino. Todo es tan extraño...

Cuando llega a la calle oye una voz detrás de ella.

–¡Señorita!

Es el inspector Ibáñez, que ha seguido a Laura hasta la puerta.

–¿Podemos hablar un momento? Hay algo que...

XII

Poco después, en el bar de la calle Montcada, Laura cuenta a Enric su visita al comisario.

–... y cuando dejé a Fargas, me siguió el inspector joven y hemos estado hablando. Ahora, todo este asunto está muy claro para mí.

–¿Sí?, pero, ¿qué te ha dicho ese hombre? ¡Dime!...

Enric se siente un poco asustado. Su amiga parece estar muy segura y él no entiende por qué.

–Me dijo que cerca del cuerpo de Maribel, la policía encontró un botón dorado[29]. ¿Te das cuenta?

Laura se calla un momento y mira a Enric a los ojos. Quiere ver qué cara pone. El chico parece no entender.

–Pero, Fargas –continúa Laura–, dice que eso no es importante...

–¿Cómo que no es importante? –pregunta el joven, sorprendido.

–¡Claro que lo es! –contesta ella–. Pero él dice que no, porque quizás quiere ayudar a alguien. ¿No lo ves? Quizás su sobrino tiene una chaqueta con botones dorados...

–Pero todo eso, tú lo imaginas, pero no lo sabes.

–Ya. Pero pronto vamos a saber si es verdad.

–Laura, no puedo creerlo...

–¿No? Pues, entonces, explícame: ¿Por qué el comisario ha detenido a José y se ha olvidado del botón? También ha olvidado que Julio es zurdo. Es un poco extraño, ¿no te parece?

Enric dice que sí con la cabeza. Él piensa que tener una chaqueta con botones dorados no es tan raro. Pero tampoco es normal que el comisario...

–Mira –continúa Laura, que no le deja tiempo de pensar–, ha llegado el momento de hacer algo. Para mí el asesino es Julio...

La chica lee un poco de miedo en los ojos de su amigo. Le sonríe antes de empezar a contarle su plan[30].

–Desde luego, debemos estar seguros. Para ello, tenemos que ver si Julio tiene una chaqueta con botones dorados. Y si a ésta le falta un botón, claro. Mi idea es ésta: Yo llamo a Julio y quedo con él aquí. Mientras, tú entras en su casa y buscas en su habitación.

–¿Y si hay alguien en la casa?

–¡Qué difícil lo ves todo, Enric! No te preocupes tanto. De momento, piensa que no va a haber nadie, y ya está.

Laura se levanta. Enric también, decidido por fin.

–Bueno –le dice ella–, entonces yo voy a llamar a Julio. Y tú, ten mucho cuidado, ¿de acuerdo?

Antes de salir, Enric se acerca a Laura y le da un beso.

–Suerte, Enric. Y por favor, llámame enseguida...

XIII

Hace unos minutos que Enric se ha ido. Sola en el bar Laura espera. Julio entra en el bar. Laura levanta la mano cuando lo ve.

–¿Te he despertado de la siesta? –pregunta.

–No. Nada de eso. Estaba escribiendo unas cartas...

–¿A alguna novia?

De repente, Julio se pone muy serio.

–¿Por qué dices eso?

–No te enfades ahora, hombre. Era sólo una broma.

–Está bien –dice Julio mientras se levanta–, voy a pedir algo de beber.

Laura se queda sola unos minutos. Piensa en todas las cosas que va a decir a Julio. Debe ganar tiempo. Julio tiene que quedarse allí, con ella, dos horas al menos. Debe conseguirlo. Mientras, Enric...

–Bueno, ¿qué pasa ahora? –pregunta Julio, que vuelve con una cerveza. Él también parece estar cansado.

–Tienes que ayudarme, Julio. José no es el asesino.

Julio empieza a sentirse mal. Tiene ganas de decirle: «¡No me hagas perder el tiempo!» Al final se calla. No sabe por qué, pero se calla.

–Te he llamado –continúa la chica–, porque entre los dos tenemos que pensar un plan para coger al asesino de Maribel. Sólo así, la policía puede dejar libre a José. Ahora te lo cuento todo... Hace poco, una persona me ha dicho algo muy importante...

La chica intenta hablar sin ponerse nerviosa.

–... Cuando los policías levantaron el cuerpo de Maribel uno de ellos encontró un botón dorado en el suelo. Yo creo que Maribel se cogió a la chaqueta de su asesino. Y entonces, el botón se cayó.

Julio la mira a los ojos. No dice nada.

–Esa persona cree que la policía no va a hacer nada con el botón. Pero he pensado que nosotros dos podíamos usar esta información. Y conseguir saber quién es el asesino. ¿Qué te parece?

Laura bebe un poco de su café.

–No lo sé –contesta Julio–. No sé qué pensar.

–Tenemos que intentarlo. José no es el asesino.

–Eso lo dices tú.

A Julio le duele la cabeza. Tiene mucho calor y se siente mal. De repente, ve cómo una extraña luz blanca cruza la cara de Laura. Julio se pasa las manos por los ojos. Le parece que los tiene llenos de arena. Quiere ver a Laura pero no puede. Está muy asustado. Tiene miedo y piensa en su madre. Entonces, la luz se apaga en su cabeza pero Laura no está. No, la chica que está enfrente de él, no es Laura. Es Maribel. Maribel muerta, muy blanca, con unas marcas marrones alrededor del cuello, de su cuello tan frío... Poco a poco la cara de Maribel vuelve a su color normal. Ya está viva. Su boca se mueve.

–¿Te pasa algo? –oye decir a la chica.

Entonces se da cuenta de que Laura ha vuelto. Laura está allí otra vez con él.

–¡Julio! ¿Te ocurre algo? –dice de nuevo la joven.

–No, nada –contesta él mientras se pasa las manos por los ojos.

–No sé, creí que estabas enfermo...

–No, no, de verdad.

–Bueno. Entonces, ¿vas a ayudarme o no?

–Sí, de acuerdo. Pero... ahora no...

Julio no se encuentra bien. Está muy asustado y tiene ganas de irse a casa. Mira su reloj, nervioso.

–... ahora no puedo quedarme. Lo siento...

–¿Y nuestro plan?... –pregunta Laura.

–No te preocupes. Voy a pensar en ello. De verdad... voy a encontrar una solución.

–¿No puedes quedarte un poco más, seguro? Es que aquí sola, no sé... Vamos a pensar un poco. Tú eras amigo de Maribel y conoces a...

–No, en serio. Tengo que irme. Si quieres, mañana nos vemos otra vez y hablamos de este asunto. ¿Vale?

–Está bien –dice Laura–. Hasta luego, Julio.

XIV

DESPUÉS de irse Julio, Laura se queda sentada, en el bar, unos minutos. Está muy nerviosa. No ha sabido jugar su parte del plan. Quería asustar a Julio pero no sabe si lo ha conseguido. Quizás sí. Y por eso se marchó. Demasiado pronto: ella ha puesto en peligro a Enric. Tiene mucho miedo por él. ¿Y si Julio lo encuentra ahora en su casa? Enric debe estar allí todavía, en su habitación, buscando la chaqueta en el armario. Es horrible. Si le ocurre algo malo...

Laura decide ir a su casa a pie. Tiene ganas de andar. Cuando llega se sienta en un sillón del salón. Está cansada. Tiene sueño pero no quiere dormir. Va a la cocina y coge una manzana. Enseguida vuelve al salón y se acerca al contestador automático[31]. Ve que hay una llamada. ¿Es Enric? Pone el contestador, nerviosa, y entonces oye una voz. Una voz extraña.

«Laura, sé donde vives. Y tú ¿me buscas? –Hay un momento de silencio, luego una risa–. Yo creo que sí. Es verdad, José no mató a Maribel. Julio tampoco. Tú vas a terminar como tu amiga Maribel... Todavía no sabes quién soy... pero vas a saberlo pronto, muy pronto.»

XV

Enric abre la puerta del armario y empieza a buscar la chaqueta. No hay nadie en el piso. Hasta ahora, ha tenido mucha suerte. Ha entrado hace unos minutos con una pequeña llave especial, como un ladrón. Y después de mirar por todas partes, ha llegado a la habitación de Julio. Es bastante grande y las paredes son de color azul claro.

Enric está muy nervioso. Tiene miedo. Julio, o alguien de su familia, puede volver y encontrarlo allí dentro. Busca deprisa entre los trajes de Julio pero no ve ninguna chaqueta con botones dorados. Julio tiene mucha ropa, pero ninguna chaqueta así. Entonces, ¿él no es el asesino? Enric no sabe qué pensar.

Por fin, cierra el armario y se sienta pesadamente en la cama.

De repente, mira la mesa que está a un lado de la ventana. Encima, hay muchos papeles y entre ellos, algunas fotografías. La primera debe de ser muy vieja, está sucia y un poco rota. En ella Enric ve a dos niñas de unos seis años. La segunda es una fotografía de... Maribel. Sí, es ella. Y aquí, en otra foto, esas niñas... Sí, claro que las conoce. ¡Ellas!,... Laura y Maribel. Las otras son todas de Maribel sola: Julio estaba enamorado de ella. Laura decía la verdad.

Enric deja las fotografías sobre la mesa y coge un papel escrito. Parece ser una carta, que no está terminada. Es para una chica.

... yo quiero ser amigo tuyo... eres tan guapa... tus ojos... tienes que creerme... por favor, no me dejes como hizo la otra... porque yo no soy mala persona pero... cuidado...

De repente, Enric lee un nombre en una esquina del papel.

«¡Es para Laura! –dice en voz alta–. Ese idiota de Julio se ha enamorado también de Laura...»

Enric siente, entonces, mucho frío. Piensa que algo horrible puede ocurrir. En ese mismo momento oye un ruido, alguien está abriendo la puerta del piso.

XVI

Cuando Julio entra en su casa está tan cansado que no puede pensar claramente.

Entra en el salón y se pone una copa. Después, se acerca a la ventana. Mientras bebe poco a poco, se acuerda de esa extraña luz. Una luz blanca que no le dejaba ver a Laura. ¡Laura! Esa chica... ¿Qué piensa de él?...

De repente, se acuerda de Maribel. Otra vez la imagina muerta entre los cubos de basura. Imagina sus manos sobre el cuello blanco, sobre el frío cuello de Maribel. Sus ojos tan abiertos mientras él le da un beso. Pero no... Ella quería a otro y se fue sin decirle nada. Todas se van. Pero eso no puede ocurrirle otra vez.

Piensa en Laura, en sus ojos, su boca. En esta ocasión todo va a ser diferente...

–¡Ah¡, hijo, ¿estás aquí? ¡Qué pronto has vuelto!

La madre de Julio ha llegado a casa en ese momento y se le ha encontrado junto a la ventana.

–¿Qué haces ahí? –le pregunta.

–Nada, mamá. Estaba pensando...

–¿En qué?, dime.

Julio la mira en silencio.

–A ti te pasa algo, ¿verdad? Cuéntamelo. ¿Es esa chica? No debes estar así. Sabes cómo son todas esas chicas... Niñas tontas que sólo se
quieren reír de ti.

–A ti te pasa algo, ¿verdad? Cuéntamelo.

Su hijo no dice una palabra, sólo la mira a los ojos.

–¿Es esa chica?, ¿esa chica que la policía encontró muerta? ¿Es por ella? ¿Te da pena?

La mujer coge la mano de su hijo. Después continúa.

–No debes estar así. Sabes cómo son todas esas chicas... Niñas tontas que sólo quieren reírse de ti. Igual que esa pesada de Laura que te ha llamado hoy tantas veces...

–No, mamá. Laura es diferente. De verdad.

La madre de Julio se quita el abrigo y lo deja sobre un sillón.

–Sí, como la chica muerta, esa Maribel... Los primeros días, son muy amables, pero después, todas te hacen daño[32]. No la veas más, Julio. Escúchame. Si te llama otra vez esa Laura, me pongo yo al teléfono. Le digo que no estás. Que no quieres hablar con ella. ¿Te parece?

–¡No, mamá! –Julio empieza a gritar–. Estoy cansado de hacer todas las cosas que tú me dices. Ya soy mayor... ¿No lo entiendes? Todos los chicos de mi edad salen con chicas. ¿Por qué yo no puedo ser como ellos?

–Pero hijo, no te enfades. Yo sólo intento hacerte feliz. No me gusta verte triste. Te quiero demasiado...

–Me da igual... Ahora mismo voy a llamar a Laura. Tengo muchas ganas de verla.

–Julio, por favor, escúchame...

–No. Ya está bien. Déjame tranquilo.

XVII

Dᴇꜱᴘᴜᴇ́ꜱ de oír la voz del contestador por primera vez, Laura se ha quedado parada, sin poder moverse, sin entender. Pero ha puesto el aparato otra vez. Sí, ha oído bien y ahora tiene mucho miedo. No sabe qué hacer. Va a la puerta y la cierra con llave. Luego empieza a pensar que puede haber alguien dentro de la casa. Mira por todas las habitaciones, nerviosísima ya.

En la cocina no hay nadie. En el baño tampoco. Va a su habitación. Le parece oír un ruido. «Vamos, Laura, tranquila» –se dice a sí misma. Enciende la luz. Nada. Mira debajo de la cama. Tampoco hay nadie. Va hacia el armario. No sabe si abrirlo. Levanta la mano y se acerca despacio. De repente, oye otra vez el mismo ruido. Laura grita sin darse cuenta: «¡Uf! ¡Sólo es el teléfono!»

–¿Diga?

–...

–¡Ah, eres tú, Julio!

–...

–¿Vernos ahora? Pues... sí, vale. ¿Dónde quedamos?

Julio... La voz del contestador no era la suya... y decía que él no era el asesino... ¿Entonces, Laura se ha equivocado? En ese momento no quiere quedarse sola. No, con Julio no va a estar peor que en casa.

* * *

Al otro lado del teléfono, Julio está encantado: Laura ha dicho que sí.

–¿Conoces el bar «La Vela»?

–...

–Está en la calle del Doctor Roux, debajo del Paseo de la Bonanova*. Puedes coger el metro hasta Sarrià* o el autobús...

–...

–No, bueno. Entonces, ¿vas a ir en taxi?

–...

–Pues, dile al taxista que está en la calle del Doctor Roux, esquina a Dalmases... Salgo dentro de un minuto.

–...

–Hasta ahora, Laura. Julio deja el teléfono en su sitio y mira a su alrededor. Busca a su madre. No la ve. «Qué raro –piensa–, estaba aquí hace un momento.» Entonces sale del salón. Empieza a llamarla desde el pasillo.

–¡Mamá!, ¡mamá! Ya lo he hecho, ya he llamado a Laura, ya la he llamado...

Nadie contesta. «Bueno –se dice Julio–, quizás ha olvidado comprar alguna cosa...»

XVIII

Hace diez minutos que Enric está detrás de la puerta de la habitación de Julio. Desde allí lo ha escuchado todo.

«¡Y ahora Julio va a encontrarse con Laura! –piensa Enric–. Si él mató a Maribel puede también... Es horrible... Tengo que hacer algo... ¿Pero qué?»

Cruza el pasillo y llega a la cocina. La puerta está abierta. Desde fuera, Enric ve un teléfono. Por fin, después de unos segundos, un policía le contesta...

–¿Podría hablar con el inspector Ibáñez?, por favor... Sí, espero... Hola. Soy Enric, el amigo de Laura... Sí, de esa chica. Está en peligro. Va a encontrarse con Julio en la calle del Doctor Roux, en el bar «La Vela»... No hay tiempo para explicarle nada. Tiene que ir enseguida. Yo también salgo ahora mismo hacia allí. Le cuento todo después... Pero dése mucha prisa, por favor...

Enric deja el teléfono y corre hacia la puerta del piso. Va a coger un taxi.

La casa se queda en silencio. Hace muy buen día y la luz del sol entra todavía por las ventanas del salón. De repente, el reloj de pared empieza a dar las horas. Son las siete.

Desde la habitación de la madre de Julio, un pequeño despertador olvidado sobre una mesa parece querer contestarle con su aburrido tic–tac. La habitación está oscura y las puertas del armario abiertas. Dentro de éste, hay mucha ropa de mujer: faldas, vestidos, un abrigo viejo y varias chaquetas. Una de ellas tiene botones dorados. Y le falta uno...

XIX

Aⁿᵗᵉˢ de pagar al taxista Laura mira a su alrededor. Está en una calle pequeña y oscura que termina en un extraño parque.

–¿Qué lugar es ése? –pregunta Laura al taxista.

–Es el cementerio³³ de Sarrià –contesta él.

–¿El cementerio? ¿No hay por aquí cerca un bar que se llama «La Vela»?

–No sé, señorita. No vengo demasiado por aquí. Lo siento.

Laura baja del taxi. No entiende por qué Julio le ha hecho venir a un barrio como éste. La calle está vacía y ella empieza a tener miedo. ¡Qué tonta ha sido! Tenía que haberse quedado en el taxi...

–¡Taxi! ¡Espere! –grita muy fuerte.

Pero ya es demasiado tarde. El coche ya dio la vuelta. Y Laura ve desde lejos cómo coge una calle a la derecha para volver hacia el centro de la ciudad. La noche está cayendo. Laura no ve a nadie por allí. Está sola. De repente oye un ruido que viene del cementerio.

–¿Julio, eres tú? –dice la chica.

Anda un poco hacia allí e intenta ver quién se acerca.

–¡Julio!, ya está bien. Me estás asustando...

Entonces la ve. Es una mujer morena y fuerte que le sonríe. Ya está muy cerca de ella.

–Hola, Laura –le dice–. ¿No sabes quién soy? ¿Te has olvidado tan pronto de mí? Te he llamado antes por teléfono pero no estabas en casa...

De repente, la madre de Julio coge a la chica y por detrás, le pone la mano izquierda en el cuello y la otra sobre la boca. Son manos fuertes, y muy frías.

–Pero seguro que has oído mi llamada en el contestador automático...

Laura intenta gritar pero no puede. Además por allí no pasa nadie. La noche llega y la calle está en silencio.

–¿Te acuerdas, Laura... –la mujer no la deja moverse– ...de Julio cuando era niño. Vosotras siempre quisisteis hacerle daño, esa horrible Maribel y tú. Yo lo dejaba en aquella habitación, muy bien guardado. Le cerraba la puerta con llave pero vosotras lo llamabais. Os reíais de él porque era diferente. Es mi niño y nadie me lo va a quitar. Todas sois unas sucias ladronas, pero no importa. Yo voy a ocuparme de vosotras. Como hice con Maribel, como voy a hacer contigo ahora...

La madre de Julio empieza a apretar el cuello de Laura con sus manos, con su mano izquierda sobre todo. Aprieta y aprieta cada vez con más fuerza.

«Estoy muerta» –piensa la chica.

XX

Desde lejos Laura oye una voz conocida que grita: «¡Déjala! ¡Déjala!...»

La mujer, sorprendida, deja a Laura, que cae al suelo.

–¡No...! –grita Julio–. ¿Por qué, mamá, por qué? ¿Cómo has podido hacerlo?

La madre se mira las manos. Después, ve cómo su hijo ayuda a Laura a levantarse del suelo.

–Mamá –dice Julio–, tú mataste a Maribel. Sí, fuiste tú... ¿verdad? Sí. Tenías miedo de quedarte sola. Pensabas que me iba a ir con ella... Nunca te gustaron mis amigas. Todas eran poco para ti. ¿Por qué, mamá? ¿Por qué no puedes ser como todas las madres?...

La mujer intenta acercarse más a Julio, cogerle del brazo, besarlo y Laura anda hacia atrás asustada.

–Yo sólo te tengo a ti –le explica–. Cuando vi a tu padre muerto lo entendí: sólo me quedabas tú. Siempre he querido verte feliz. Todas esas chicas te hacían daño. No eran buenas para ti. Ninguna te quería de verdad, sólo yo, Julio, sólo yo.

–¡No! –el joven empieza a gritar–. ¡Estás enferma, mamá, enferma! Cuando yo era un niño, me dejabas horas y horas en aquella habitación sucia y oscura. Sólo me querías para ti. Después, empecé a tener amigos y tú los llamabas por teléfono para asustarlos. Por eso se reían, por eso no se acercaban a mí. ¿Qué has hecho con mi vida, mamá?

De repente Julio se sienta en el suelo y empieza a llorar en silencio. Tiene los ojos y la boca extrañamente abiertos y mira hacia el cielo. Ha visto la verdad. Demasiado tarde. Ahora parece estar en otra parte, perdido en su pasado.

–Maribel, pobre Maribel –dice con voz de niño mientras llora–. Maribel, pobre Maribel –continúa...

Su madre va hacia él y sentada a su lado lo coge entre sus brazos. Julio no se da cuenta de nada.

Laura oye entonces un ruido. Alguien está cerrando la puerta de un coche. Tres hombres se bajan de él.

–¡Carmen! –grita el comisario Fargas mientras se acerca rápidamente–. ¿Qué haces aquí?

Ella se calla, sólo mira a su hermano muy seria.

El inspector Ibáñez coge a Julio por un brazo y lo levanta del suelo.

–Señora –dice–, voy a detener a su hijo por el asesinato de Maribel Cornet...

–¡Él no ha sido! –Carmen Fargas se pone de pie y empieza a hablar muy despacio–. Él no es el asesino. Yo maté a esa chica...

–Yo quiero jugar con ellas, con Maribel y con Laura, pero son malas, sí mamá, son muy malas... Yo estoy solo, no puedo salir... pero las veo pasar desde la ventana.

–Pero, ¿qué dices? –pregunta el comisario–. Calla. No puedes ayudar a tu hijo, Carmen. Lo sabemos todo. Desde el primer momento, pensé que él podía ser el asesino. Pero no quería creerlo. Y sabía que te iba a doler tanto...

–No, señor comisario –explica Laura–. Su hermana ha contado la verdad. Ella también ha intentado asesinarme a mí. No lo consiguió porque llegó Julio. Créame, si no es por él, ahora yo...

–¿Te encuentras bien? –le pregunta Enric.

Laura dice que sí con la cabeza mientras se toca el cuello con una mano. En el lado izquierdo tiene una fuerte marca roja.

–No puede ser –dice el comisario–. Es imposible. Quizás Julio, pero mi hermana... ¡No, no...! –Carlos Fargas se lleva las manos a la cara–. ¡No es verdad! –dice en voz baja–. No... ella no.

–Maribel, pobre Maribel –Julio empieza a hablar otra vez con voz de niño–. Ella es la vida, tan alegre... Siempre ríe. Yo quiero jugar con ellas, con Maribel y con Laura, pero son malas, sí mamá, son muy malas... Yo estoy solo, no puedo salir... pero las veo pasar desde la ventana. ¡Maribel!... ¡Laura!... Ellas son la vida. Ayer maté una fea rata pero hoy no hay ratas... Sólo Laura, Laura... Pero ella es diferente...

Todos miran tristes al joven, que ha vuelto para siempre a su pasado.

SOBRE LA LECTURA

Para comprobar la comprensión

¿Verdadero o falso?

I

1. *Laura y Enric se conocen en el puerto, en una exposición de cuadros.*
2. *Albert sale de la exposición con Laura.*
3. *En las Ramblas Laura se encuentra con su amiga Maribel.*
4. *Laura conoce a la chica muerta.*

II

5. *El comisario de policía se llama Jesús Fernández.*
6. *Laura es muy buena amiga del sobrino del comisario.*

III

7. *Julio dice que la policía no sabe quién es el asesino de Maribel.*
8. *Laura conoce a José Puertas.*
9. *Laura encuentra a Julio simpático.*
10. *Laura quiere olvidarse de toda esta historia del asesinato.*

IV

11. *Cuando sale del bar, Julio está contento.*
12. *Julio fue un niño feliz.*
13. *Julio conoció a Maribel y a Laura cuando eran niñas.*

V

14. *Laura ha llamado a Julio por teléfono.*
15. *Maribel nunca ha tenido problemas con su familia.*
16. *A los padres de Maribel les gustaba José.*

VI

17. *Dos policías fueron a buscar a José al bar «El Dorado» la noche anterior.*
18. *José bebía mucho.*

VII

19. *Para el inspector Ibáñez el asesinato de Maribel no está claro.*
20. *Al comisario Fargas le interesa hablar de ello con Ibáñez.*

VIII

21. *María conocía muy bien a Maribel.*
22. *El día antes, Maribel recibió una llamada que no le gustó.*
23. *Maribel había quedado para salir con una amiga.*
24. *Julio está muy contento.*

IX

25. *Julio quería a Maribel.*
26. *También le interesa Laura.*

X

27. *Laura vuelve al piso de Maribel y María.*
28. *Laura piensa que José mató a Maribel.*
29. *Julio es zurdo.*
30. *Laura quiere hablar con el comisario de policía.*

XI

31. *El comisario Fargas está muy contento de poder hablar con Laura.*
32. *El inspector Ibáñez está en el despacho del comisario.*

XII

33. *Ibáñez dio una nueva información a Laura.*
34. *Laura piensa que el comisario quiere ayudar a su sobrino.*
35. *Laura piensa que Julio no es el asesino.*
36. *Laura tiene un plan para dejar claro quién es el asesino.*

XIII

37. *Enric está en el bar con Laura.*
38. *Laura quiere ser amiga de Julio.*
39. *De repente, Julio se encuentra mal.*

XIV

40. *Laura está muy contenta de cómo ha ido su parte del plan.*

41. *Mientras no estaba en casa Laura recibió una llamada de Enric.*

XV

42. *Enric encuentra en casa de Julio la chaqueta con los botones dorados.*

43. *Enric se da cuenta de que Julio quiere a Laura también.*

XVI

44. *Julio y su madre están un rato hablando tranquilamente.*

45. *A la madre de Julio le gustan mucho todas las amigas de su hijo.*

XVII

46. *Laura está contenta de oír a Julio y queda con él en un bar.*

47. *Cuando Julio sale, su madre está en casa todavía.*

XVIII

48. *Enric está en la comisaría.*

49. *Dentro del armario de la madre de Julio hay una chaqueta con botones dorados.*

XIX

50. Laura se encuentra enseguida con Julio.

51. La madre de Julio asesinó a Maribel.

XX

52. Julio llega a tiempo para ayudar a Laura.

53.Fargas creía que Julio era el asesino.

54. Julio se vuelve loco.

Para hablar en clase

1. *¿Creyó usted, como Laura, que Julio era el asesino de Maribel? ¿Hasta qué momento?*

2. *¿Qué opina usted de la actitud de Laura en esta historia? ¿Fue inteligente? ¿Hasta qué punto? En todo caso, ¿resultó positiva?*

3. *¿Qué opina usted de la actitud del comisario Fargas? ¿Cree que es frecuente encontrar a policías así en la vida real? ¿Cree que muchos asesinos quedan sin descubrir?*

4. *¿Cree usted que existen en la vida real muchas personas como la madre de Julio? ¿Hasta qué punto piensa que los padres tienen influencia sobre la personalidad de sus hijos?*

5. *¿Es la familia importante para usted? ¿Por qué?*

NOTAS

Estas notas proponen equivalencias o explicaciones que no pretenden agotar el significado de las palabras o expresiones siguientes sino aclararlas en el contexto de *La chica de los zapatos verdes*.

m.: masculino, *f.:* femenino, *inf.:* infinitivo.

cubo de basura

1 **exposición** *f.:* presentación pública de cuadros.

2 **voz** *f.:* sonido que produce una persona cuando habla o canta.

3 **Ramblas** *f.:* la calle más famosa de Barcelona, que va desde el centro de la ciudad hasta el puerto. Allí la gente suele pasear, comprar flores o animales.

4 **cubos de basura** *m.:* grandes recipientes donde los vecinos de una casa dejan el conjunto de cosas que no quieren conservar: restos de comida, objetos viejos, etc.

5 **se acerca** (*inf.:* **acercarse**): va hacia.

6 **despacho** *m.:* en una casa, una oficina, o como aquí, en una comisaría, habitación donde trabajan una o varias personas.

7 **marcas** *f.:* señales que se ven en una parte del cuerpo y que indican que una persona ha recibido golpes, ha sido herida o maltratada físicamente.

8 **cuello** *m.:* parte del cuerpo de una persona (o de un animal) situada entre la cabeza y el resto del cuerpo.

despacho

barra

9 **asesinada** (*inf.*: **asesinar**): matada. La acción y el resultado de matar voluntariamente a una persona es un **asesinato** (*m.*). La persona que comete esta acción es un **asesino** (*m.*).

10 **sobrino** *m.*: hijo de un hermano o una hermana.

11 **barra** *f.*: en un bar, especie de mesa alta, larga y estrecha donde los clientes pueden tomar sus bebidas o comidas de pie o sentados en sillas altas.

12 **drogas** *f.*: sustancias peligrosas como el L.S.D., por ejemplo, que producen efectos físicos y psicológicos artificiales y que crean hábito en las personas que las toman.

13 **enamorado** *m.*: que siente amor por una chica o mujer, que la quiere intensamente y siente atracción física hacia ella.

14 **sorprendido** *m.*: bajo el efecto de la sorpresa. La **sorpresa** (*f.*) es la emoción producida por algo extraño que no se entiende o que no se esperaba.

15 **tío** *m.*: hermano del padre o de la madre.

16 **taza** *f.*: recipiente pequeño con asa (ver nota 18) para tomar bebidas, café o té, por ejemplo.

17 **dirección** *f.*: número y nombre de la calle donde vive una persona.

18 **asa** *f.*: parte de la taza que sirve para cogerla.

taza

rata

19 **rata** *f.:* animal de color gris oscuro o marrón y de unos 25 a 50 cm, con cola larga, cabeza pequeña y patas cortas. En las ciudades vive en lugares sucios. Puede transmitir enfermedades.

20 **risas** *f.:* sonidos producidos por la acción de reír.

21 **casco antiguo** *m.:* nombre dado a la parte antigua de la ciudad.

22 **detuvo** (*inf.:* **detener**): aquí, llevó a la comisaría de policía bajo la acusación de haber cometido el asesinato.

23 **informe** *m.:* conjunto de noticias, información que se da, generalmente por escrito, sobre una persona o un tema específico.

24 **lee las cartas:** habla sobre la vida de las personas, sobre su pasado y, en particular, sobre su futuro con la ayuda de unas cartas especiales (ver nota 25) que interpreta.

25 «**tarot**» *m.:* juego de cartas de origen italiano usado para adivinar el futuro. Son más largas que las cartas habituales y llevan figuras diferentes, cada una con su significado particular.

26 **aprieta** (*inf.:* **apretar**): hace presión sobre algo, aquí una presión desagradable sobre el cuello.

27 **imagina** (*inf.:* **imaginar**): se representa mentalmente una situación que no está presente o que no es real.

tarot

28 **zurdo** *m.:* que usa preferentemente la mano o el pie izquierdos para hacer las cosas que la mayoría de las personas hacen con la mano o el pie derechos.

29 **botón dorado** *m.:* pequeño objeto, generalmente redondo, que sirve para cerrar o sujetar las dos partes de una prenda de vestir (abrigo, camisa o chaqueta, por ejemplo). Si es de color parecido al oro, es un **botón dorado.**

botón

30 **plan** *m.:* conjunto de cosas que una persona piensa hacer y forma de realizarlas.

31 **contestador automático** *m.:* aparato conectado al teléfono que contesta a las llamadas y las graba en una cinta magnética. La gente lo conecta generalmente cuando no está en casa.

32 **hacen daño** (*inf.:* **hacer daño**): provocan dolor, físico o moral.

33 **cementerio** *m.:* lugar donde están enterrados los muertos.

Títulos ya publicados de esta Colección

Nivel 1

¡Adiós, papá! ÓSCAR TOSAL
El misterio de la llave. ELENA MORENO GONZÁLEZ
La sombra de un fotógrafo. ROSANA ACQUARONI MUÑOZ
Soñar un crimen. ROSANA ACQUARONI MUÑOZ
Una mano en la arena. FERNANDO URÍA

Nivel 2

El hombre del bar. JORDI SURÍS JORDÀ Y ROSA MARÍA RIALP
En piragua por el Sella. VICTORIA ORTIZ GONZÁLEZ
La chica de los zapatos verdes. JORDI SURÍS JORDÀ
La ciudad de los dioses. LUIS MARÍA CARRERO PÉREZ
* *La corza blanca.* GUSTAVO ADOLFO BÉCQUER
* *Rinconete y Cortadillo.* MIGUEL DE CERVANTES

Nivel 3

* *Don Juan Tenorio.* JOSÉ ZORRILLA
* *El desorden de tu nombre.* JUAN JOSÉ MILLÁS
* *La Cruz del Diablo.* GUSTAVO ADOLFO BÉCQUER
* *Marianela.* BENITO PÉREZ GALDÓS
Pánico en la discoteca. FERNANDO URÍA

Nivel 4

Carnaval en Canarias. FERNANDO URÍA

* *El oro de los sueños.* JOSÉ MARÍA MERINO

* *La muerte y otras sorpresas.* MARIO BENEDETTI

* *La tierra del tiempo perdido.* JOSÉ MARÍA MERINO

* *Letra muerta.* JUAN JOSÉ MILLÁS

* *Sangre y arena.* VICENTE BLASCO IBÁÑEZ

Nivel 5

* *Pepita Jiménez.* JUAN VALERA

* *Adaptaciones*